BLUE MEN

NO.19

BEN.

筋肉體育生

人生中最大的挑戰 就是在運動場上 征服對方

在運動場的浴室 同學們嘻鬧較量玩弄彼此的身材與秘密

20 歲的我 似乎有著讓他們很羨慕的地方

我想讓這份羨慕 變成永恆的紀錄

PHOTO ALBUM /

server / digger / spiker /

The shortest answer

MEN'S VOLLEYBALL

Winners do what losers don't want to do.

Don't give up and don't give in.

is doing

SPORTY

COVER PEOPLE/

BEN

排球，是我熱愛的運動
每一場賽事都是與倒數的時間賽跑，
也介於柔與剛之間遊走的競賽
考驗的是一個人在短時間的判斷能力
也是大局面的團隊默契

有時必須在極短的時間判斷進攻的瞬間，將球殺進對方的領域；有時則是拋出一個好球與隊友完成更好的策略

而這不僅是一場團隊活動的競賽
在每一次揮汗的過程當中
我也能在呼吸喘息之間，感受到強大的動力

Never underestimate your power to change yourself /

A bold attempt

i s   h a l f   s u c c e s s .

B e l i e v e   i n   y o u r s e l f

KIPSTA

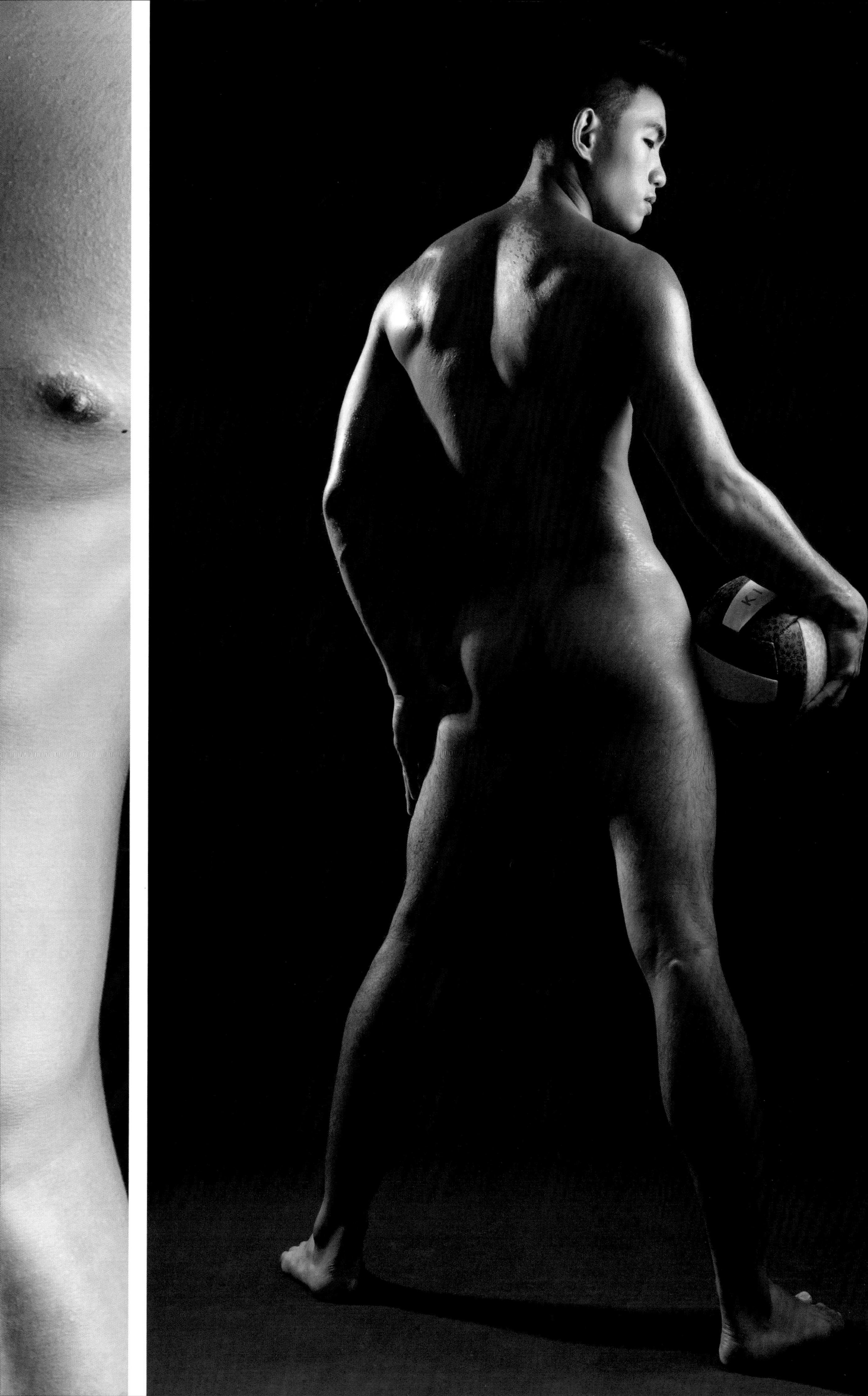

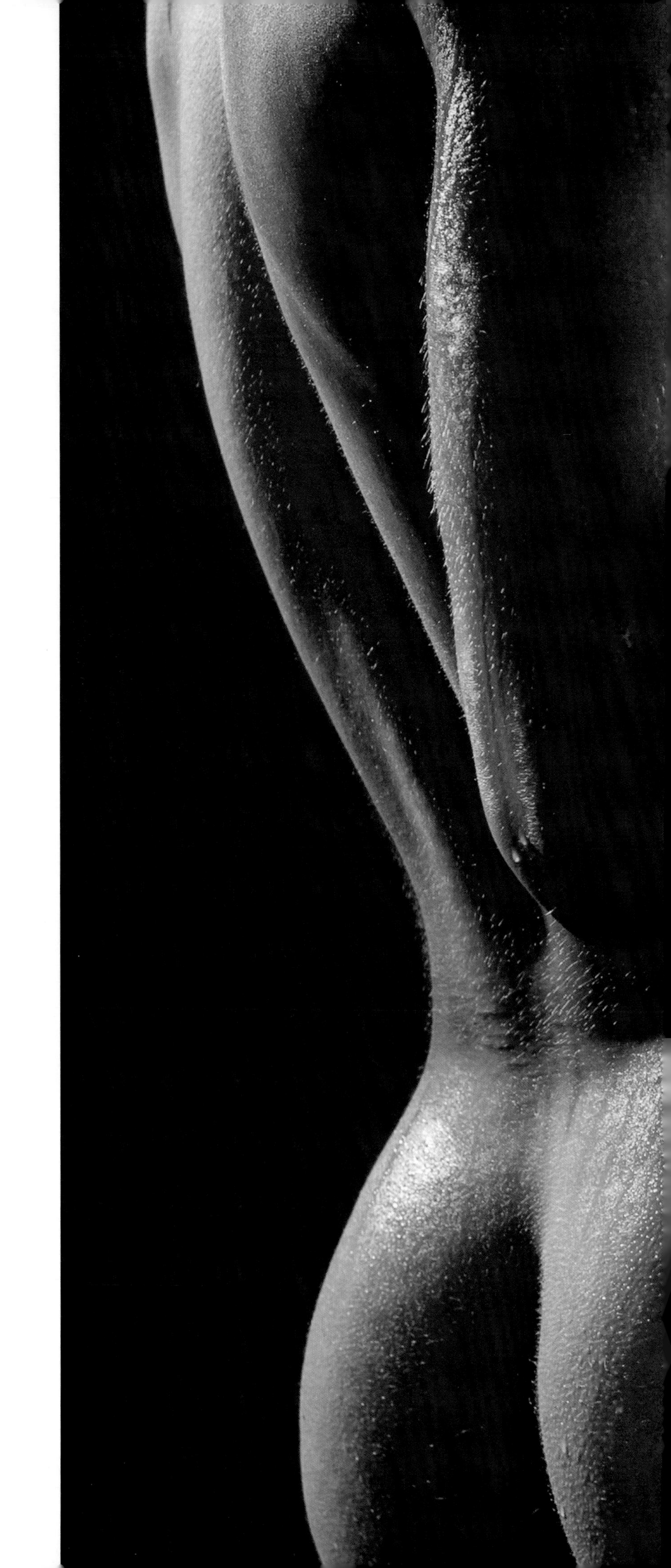

KIPSTA

Live well, love lots
Zero in your target,and go for it.

ABOUT
WORK
OUT

我是大學的時候開始接觸健身
平常除了喜歡運動之外
開始了解到健身可以均衡的鍛鍊到各部位的肌肉群

初期開始，在專業教練帶著我透過器材訓練
我意識到平常慣用的姿勢，
可能容易導致自己在運動的過程中受傷，
而從中慢慢修正，用對的方式進行施力
讓我在體態雕塑上也會有更好的效果

以前我是一個精瘦型的體態
現在的我，慢慢的也把胸肌練的厚實了

Adversity is a good discipline /

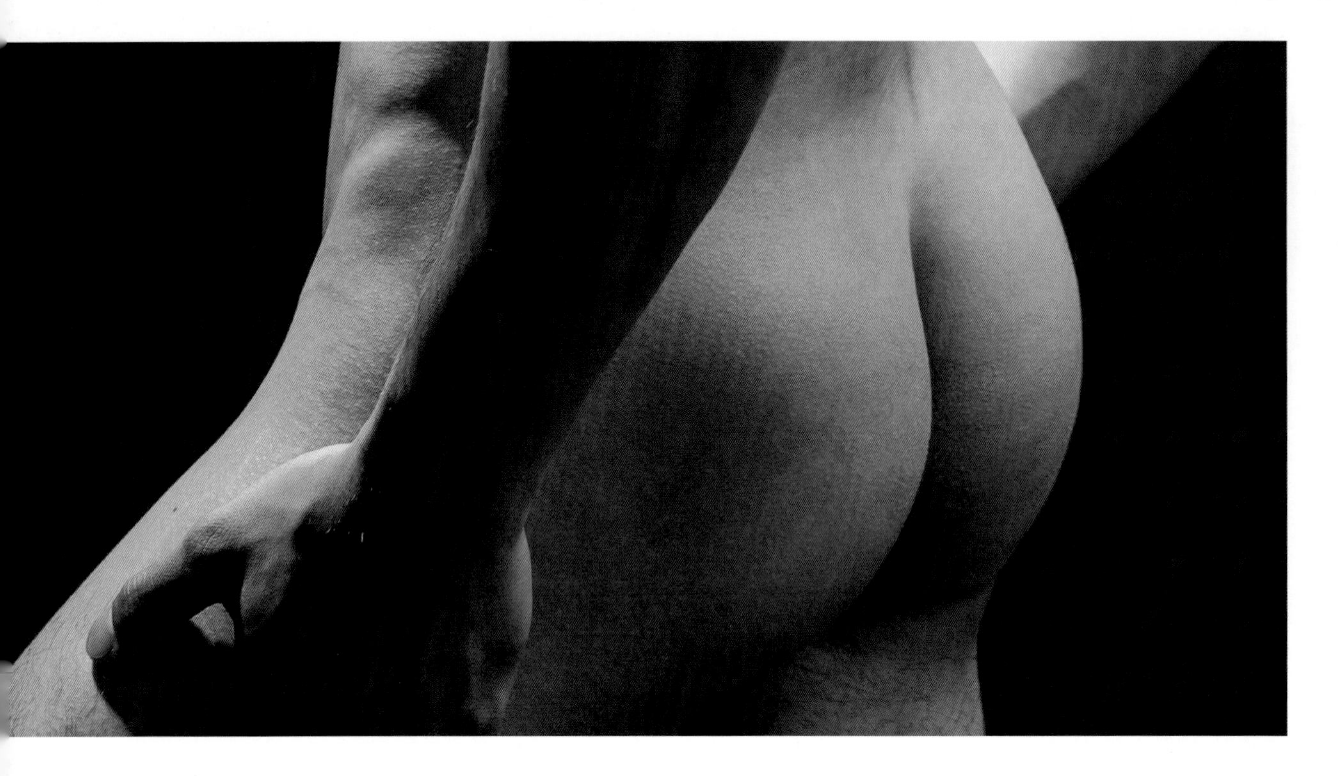

健身，是一件需要和自己抗衡的過程

鍛鍊的時間裡，反應在肌肉的痠痛感會讓你產生倦怠

但唯有讓自己在修復後繼續出發

才能慢慢累積出成果

是一件需要長時間去經營的事

在開始鍛鍊之後，

也慢慢地對自己的體態更加要求

勻稱的肌肉分布讓身型更好

下半身的大腿肌肉線條、臀型也是我在運動後期注重的要點

Follow your heart

BE TURE

AND

BE YOU

Don't just exist,
live.
Be fearless

I CAN

BECAUSE

I THINK I CAN

PURSUE

BREAKTHROUGHS

IN YOUR LIFE

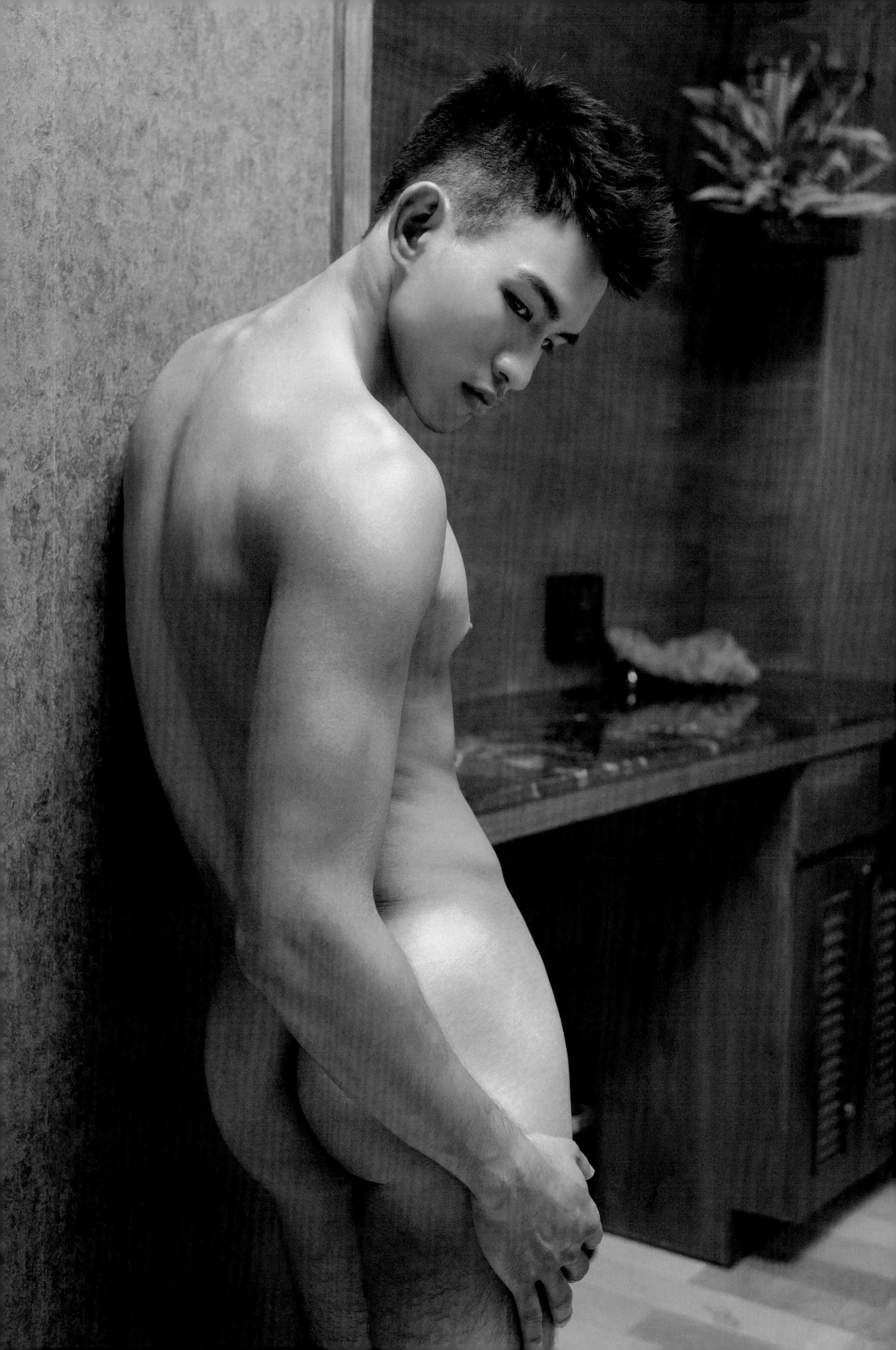

I am a slow walker, but i never walk backwards

In order to
be irreplaceable one
must always be
different.
PER
SIST

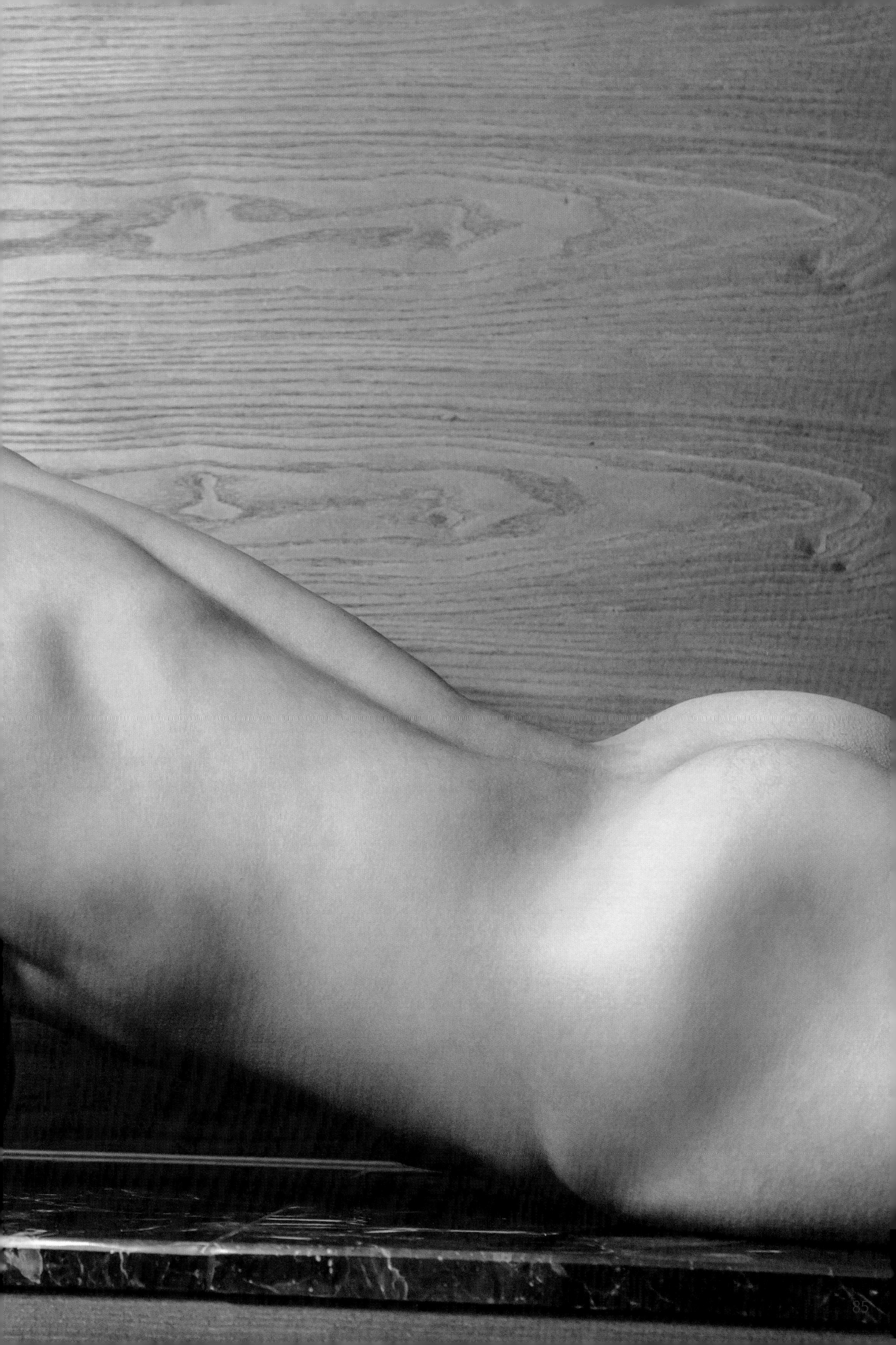

CONFIDENT

With confidence, you have won
even before you have started
And you have to believe in yourself
. That''s the secret of success.

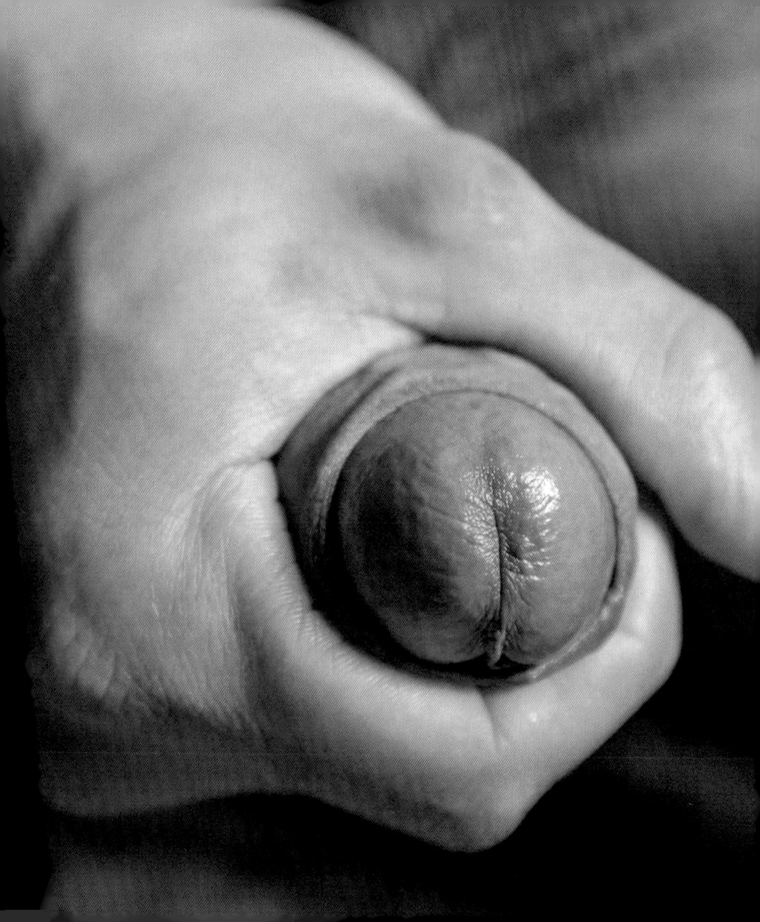

運動的過程可以讓我更有自信

長久以來培養運動的習慣，也
讓我肢體的反應力上大大提升

每當在排球場上，我高舉著球，把握每一次適當的發球瞬間
每一場球，都會面對到不同的球路狀況，
除了不斷的累積著臨場經驗，更刺激著自己的本能反應
都是讓我在下一次的球事中，擁有更進一步的表現

在別人喜歡你之前，你必須要先比
別人更愛自己，自信則油然而生

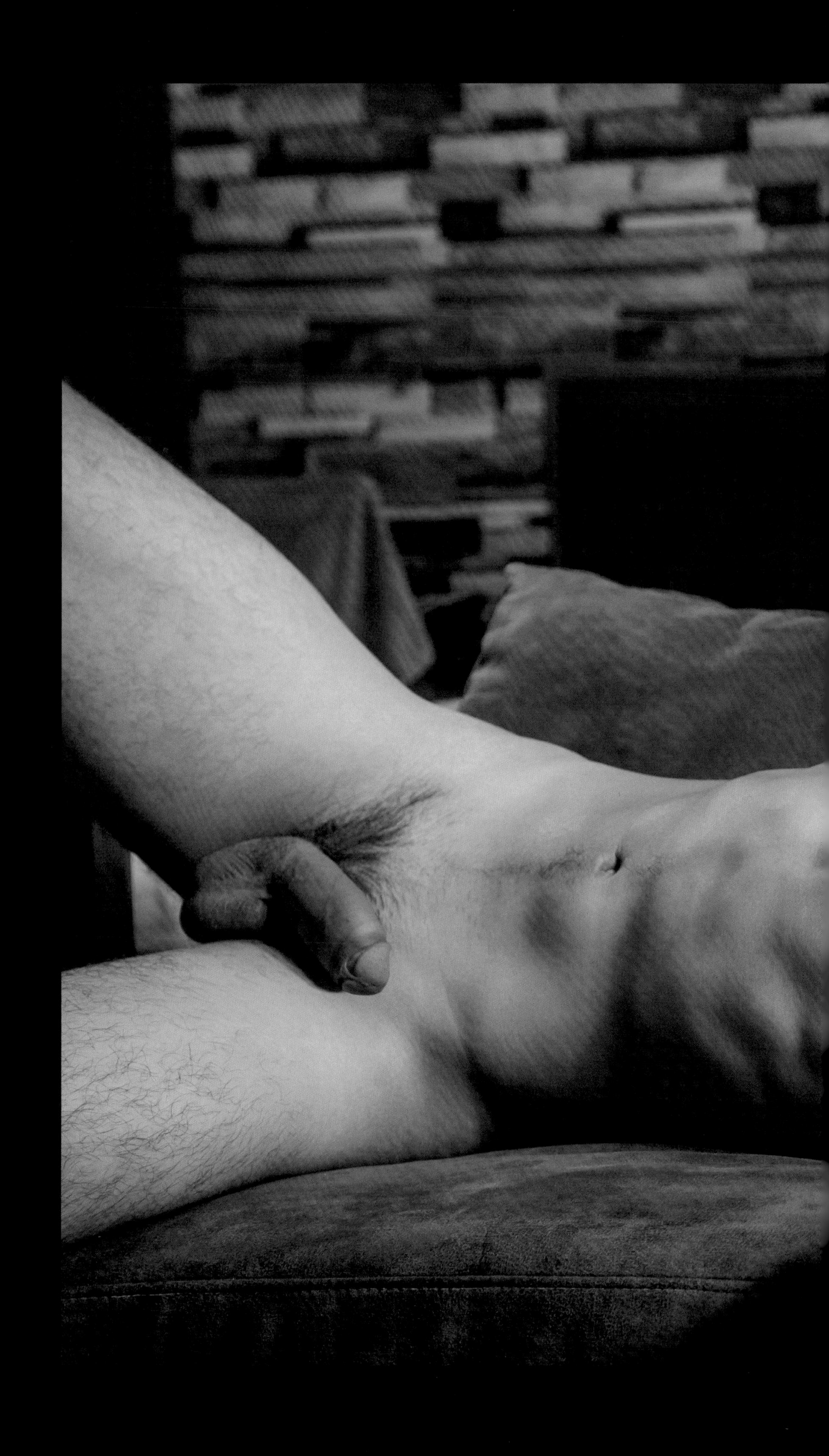

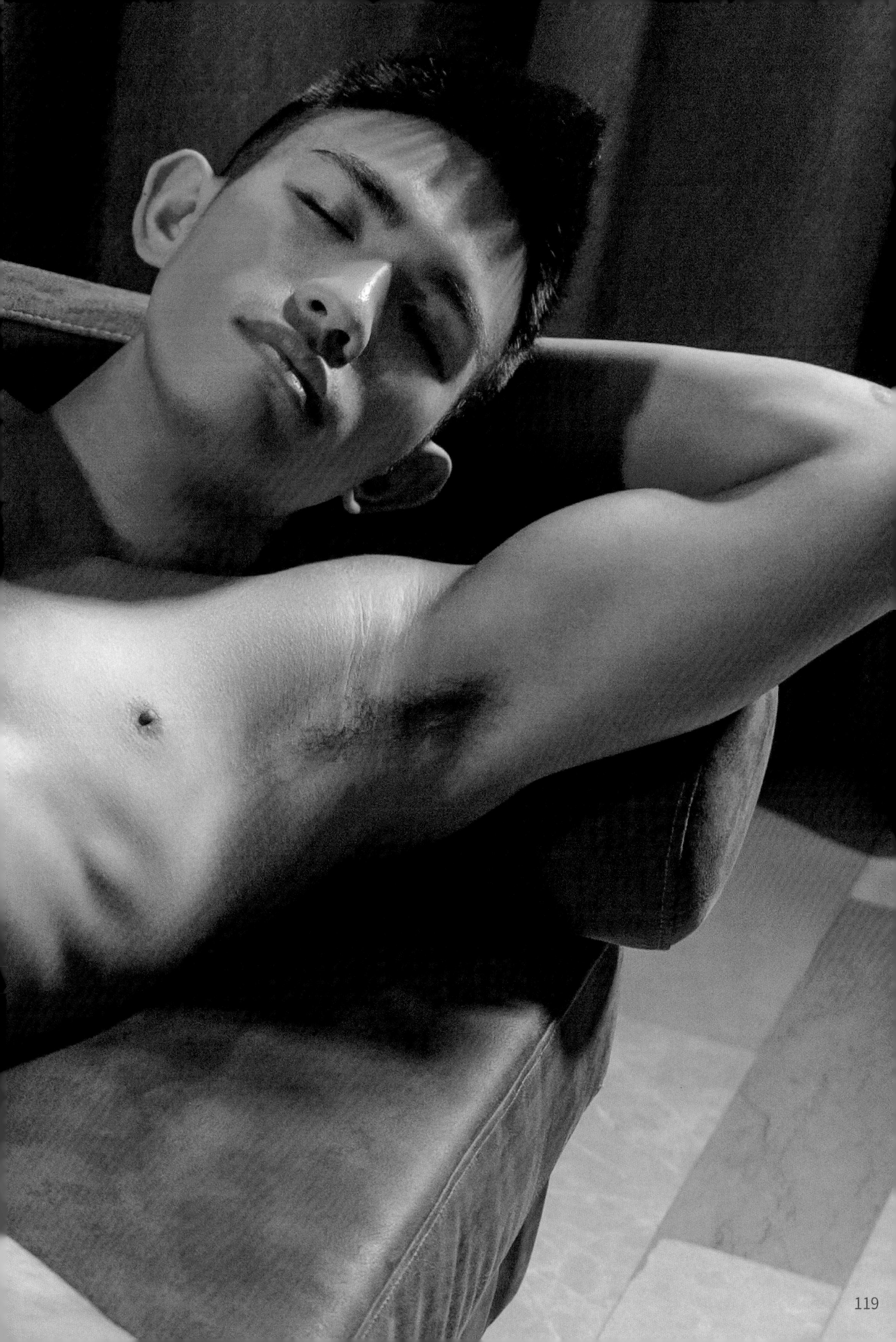

To Allow Yourself

To Behave Much More Freely
Than Usual And Enjoy Yourself

Relax

LIVE BEAUTIFULLY

Gentle to have, but not compromise,
I want to be in quiet, not stron

TAKE
A
SHOWER

BLUE MEN 官方網站

OFFICIAL WEBSITE

立即掃描 QR code 追蹤
電子寫真 / 實體書 / 周邊商品 帶給最即時的刊物訊息

FOLLOW US /

官方網站

INSTAGRAM

FACEBOOK
粉絲專頁

攝影師介紹
PHOTOGRAPHER INTRODUCTION

張席森

亞洲男子寫真拍攝與出版量最高的攝影師
透過攝影捕捉每個模特的情感

「每個人都有其獨特的美感與韻律展現
努力鍛鍊過的男人更是值得留下紀錄」
讓我透過鏡頭，為你說故事。

男模招募
RECRUITMENT OF MALE MODELS

只要你年滿 18 歲
身材具有基本線條
掃描官方網站 QR code
即可填寫報名資料

出版合作
AGENT DISTRIBUTION

想讓自己拍攝的作品能廣為人知並有
高獲利銷售嗎？
我們提供專業寫真後期製作與代理經
銷服務
包含海內外網路平台銷售、大型連鎖
實體通路販售等
期待你加入我們的行列

攝影師招募
PHOTOGRAPHER RECRUITMENT

徵求特約合作攝影師
無論你是平面攝影師 / 動態攝影師等
都能夠來挑戰
一起將性感時尚帶入新紀元

刊　期　藍男色　NO.19
刊　名　筋肉體育生 / BEN 實體寫真書

出版社　亞升實業有限公司

攝影部　Department of Photography
攝影師　張席林
攝影協力　林奕辰
影音製作　林奕辰 / 施宇芳

編輯部　Editorial department
企劃編程　張席林 / 張婉茹
排版編輯　羅婉瑄 / 施宇芳
文字協制　羅婉瑄 / 施宇芳
美術設計　施宇芳

法律顧問　宏全聯合法律事務所　蔡宜軒律師

如何與我們聯絡

- 如書籍外觀有破損缺頁、裝訂錯誤等不完整現象，想要換書、退書，或您有大量購書的需求服務，都請與各平台如博客來、PUBU 等實體通路之客服中心聯繫。

- 詢問書籍問題前，請註明您所購買的書名及書號，以及在哪一頁有問題，以便各實體通路平台能加快處理速度為您服務

- 購買書籍後如有需要退 / 換書，請於各實體通路平台規定退 / 換貨天數中提出申請，如超過該平台規定之退 / 換貨天數提出，本公司將不接受原為實體通路之平台退 / 換貨申請，在此聲明

- 退 / 換貨處理時間每個平台無一定天數，請您耐心等候客服中心回覆

- 若對本書有任何改進建議，可將您的問題描述清楚，以 E-mail 寄至以下信箱 yasheng0401@gmail.com

PURSUE
BREAKTHROUGHS
IN YOUR
LIFE

volleyball player

深邃的雙眼和濃密的睫毛　20歲的體育大男孩　難以馴服的獨特氣息
舉手投足間充滿了體育少年費洛蒙
輕易勃起的巨大男根秘密　赤裸的呈現你面前　一覽無遺

Men's Self Record

Keep on going
and
never give up /

裸の巨根体育学生

BEN

誇りに思う秘密